ODILON MORAES

TEM GATO NA TUBA

Inspirado na canção de João de Barro e Alberto Ribeiro

Copyright desta edição © 2024 Saíra Editorial
Copyright das ilustrações © 2024 Odilon Moraes

A letra da canção "Tem gato na tuba" foi licenciada por meio da Todamérica Edições Ltda.

Direção e curadoria **Fábia Alvim**
Gestão editorial **Felipe Augusto Neves Silva**
Projeto gráfico **Odilon Moraes & Estúdio Arquivo**
Editoração eletrônica **Pedro Botton**

Dados Internacionais de Catalogação na Publicação (CIP)

M447L   Moraes, Odilon

Tem gato na tuba / Odilon Moraes.
São Paulo: Saíra Editorial, 2024.
(Coleção Gramofone; v. 4)

48p., il.; 27,5 × 20,5 cm

ISBN 978-65-996513-9-7

1. Literatura infantil. I. Odilon Moraes. II. Título.

CDD 028.5

Índice para catálogo sistemático:
Literatura infantil   028.5

Elaborada por Janaina Ramos – CRB-8/9166

Todos os direitos reservados à Saíra Editorial
Rua Doutor Samuel Porto, 411
Vila da Saúde – 04054-010 – São Paulo, SP
sairaeditorial.com.br

Para minha mãe e meu pai, que me cantaram
e encantaram com Braguinha.

Todo domingo…

havia banda

no coreto do jardim.

E já de longe

a gente ouvia

a tuba do Serafim.

Porém um dia

entrou um gato

na tuba do Serafim.

E o resultado

dessa melódia

foi que a tuba tocou assim:

PUM PUM

38

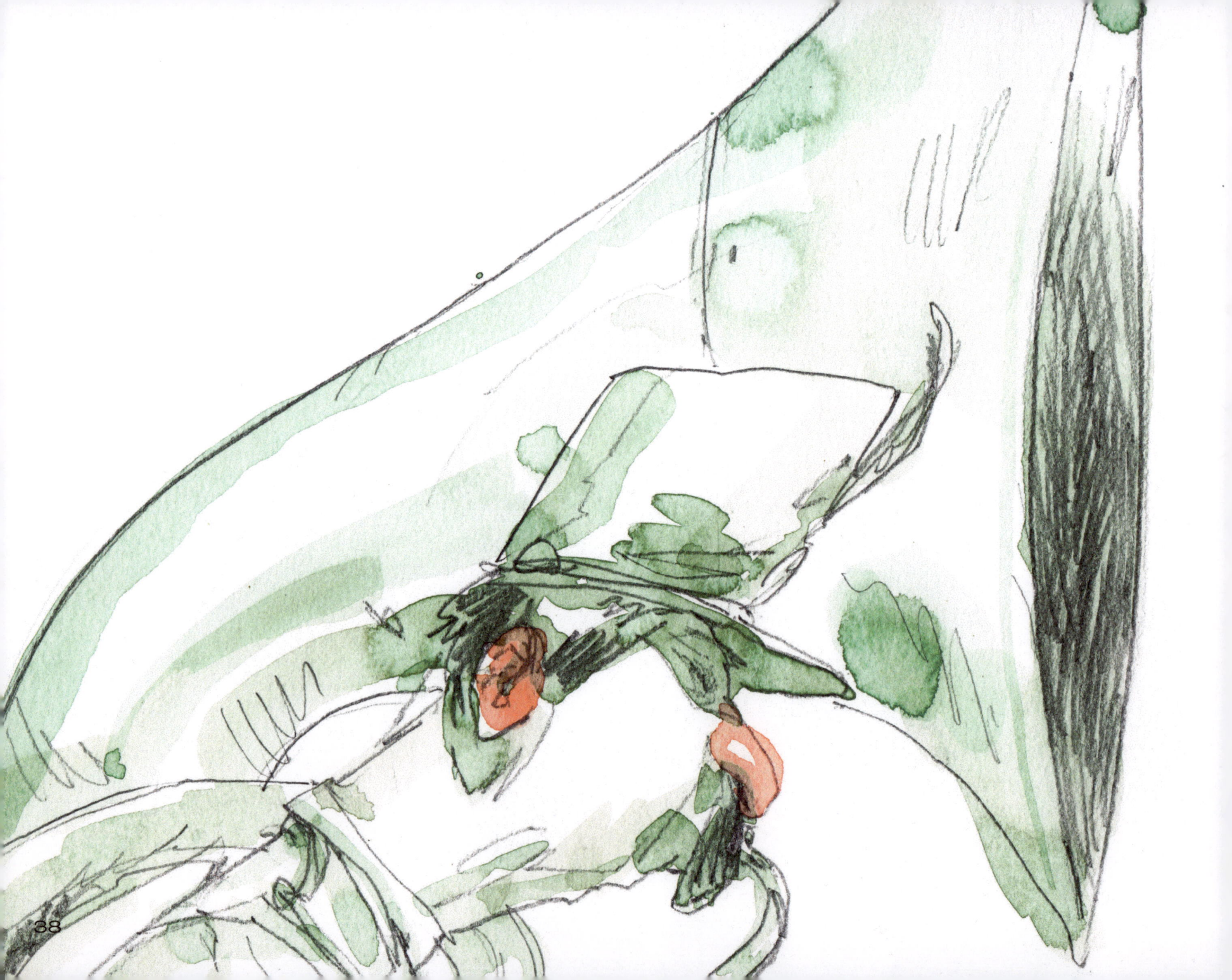

MiiAUUU!!

PUM PU RU

RUM PUM PUM!!!

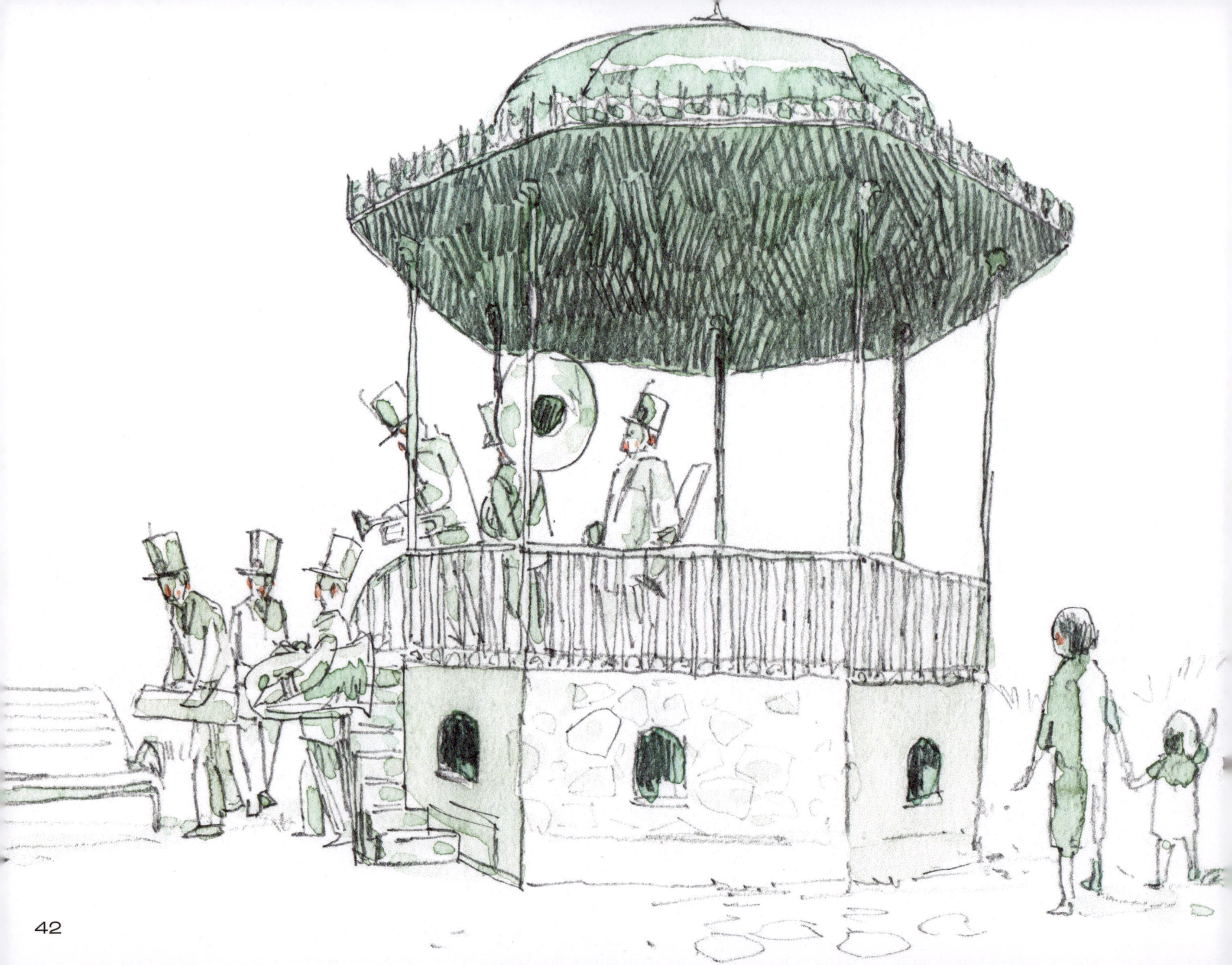

43

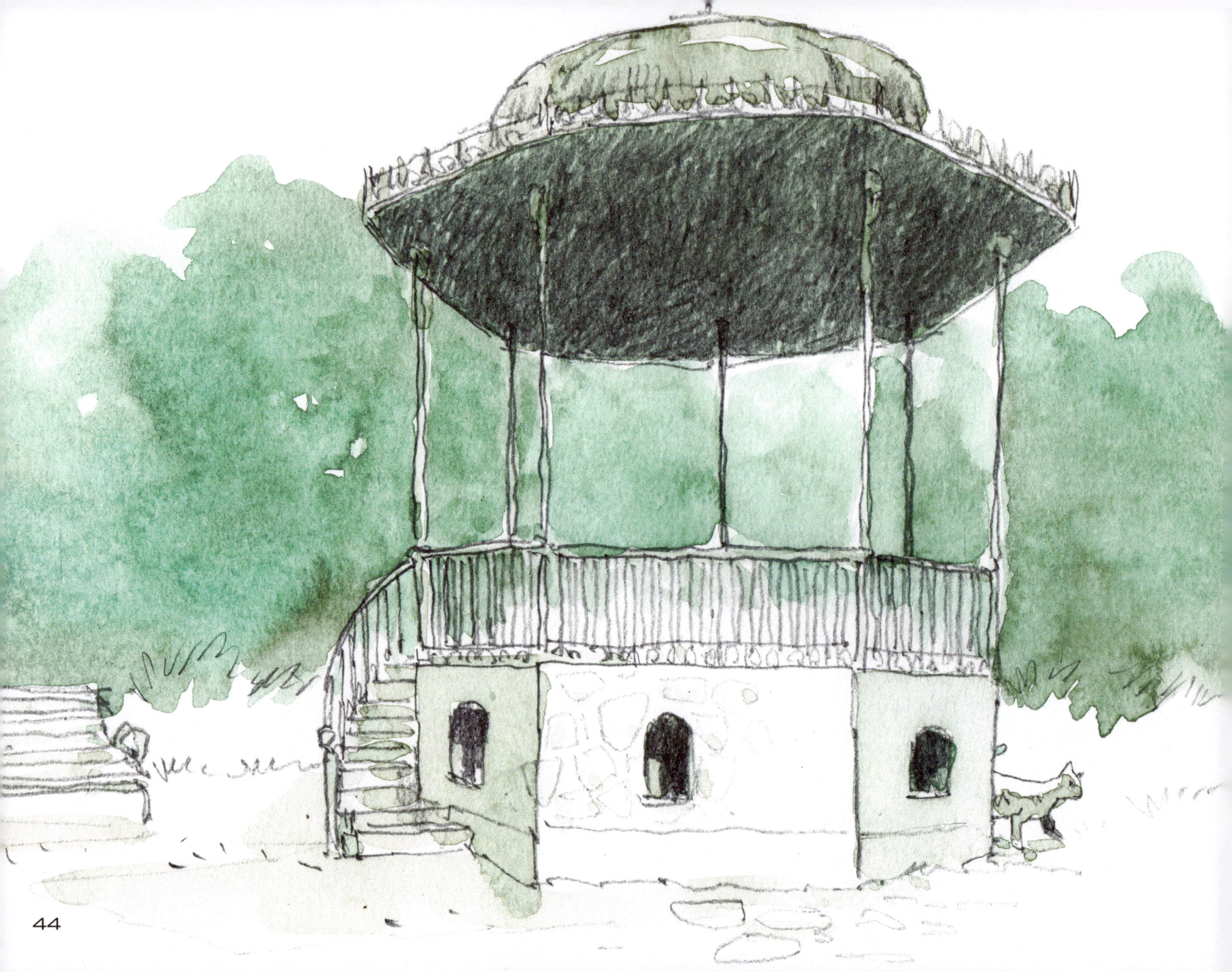

Miau...

Quem foram João de Barro e Alberto Ribeiro?

Carlos Alberto Braga, conhecido também como **Braguinha** ou **João de Barro**, nasceu no Rio de Janeiro em 1907 e viveu até 2006.

Ainda em sua mocidade, quando estudava no Colégio Batista no Rio de Janeiro, conheceu o violonista Henrique Brito, que lhe despertou o interesse pela música. Motivado, ele organizou, em 1928, um grupo musical inicialmente chamado "Flor do tempo", que depois foi rebatizado como "Bando dos tangarás". Nele, teve entre seus companheiros Noel Rosa e Henrique Foréis Domingues (mais conhecido como Almirante).

Depois de uma breve carreira como cantor, **Braguinha** decidiu se dedicar à composição e criou clássicos da música feita no Brasil. Uma de suas mais famosas composições foi "Carinhoso", letra que foi complementada por uma melodia composta por Pixinguinha. Estabeleceu ali uma parceria com um dos mais importantes músicos brasileiros.

As parcerias, aliás, ficaram famosas dentro da história da música. Trata-se de uma prática em que duas ou mais pessoas criam músicas juntas. O mais comum é que alguém faça a letra da música e outra pessoa faça a melodia, mas isso não é uma regra. Existem diversos tipos de parceria, que variam também quanto ao número de participantes.

Braguinha teve alguns parceiros, como Antônio Almeida e Alcir Pires Vermelho, mas seu companheiro musical mais constante foi **Alberto Ribeiro**, que viveu entre 1902 e 1971. Juntos, os dois criaram os sucessos "Fon-fon", "Chiquita Bacana", "Copacabana", "Fim de semana em Paquetá", além da divertida "Tem gato na tuba". Também fizeram juntos muitas marchinhas juninas e de carnaval que até hoje são cantadas e relembradas nas festas pelo país.

Braguinha e **Alberto Ribeiro** tiveram, além das parcerias, outra característica comum: ambos realizaram em suas vidas várias atividades. **Braguinha** trabalhou inventando argumentos, produzindo e compondo para muitos filmes, como "Alô, alô Brasil", "Banana da terra" e "Laranja da China". Foi também diretor artístico da gravadora Columbia e um dos responsáveis pela criação dos famosos "disquinhos coloridos", em que suas adaptações e criações de histórias infantis fizeram enorme sucesso, atingindo a marca de mais de cinco milhões de cópias vendidas em 1976.

Alberto foi compositor, mas também poeta, cantor e, durante dez anos, diretor da União Brasileira de Compositores. Além disso, como médico homeopata, foi reconhecido por exercer a profissão de maneira generosa e abnegada.

A consagração carnavalesca de **Braguinha** aconteceu em 1984, no ano da inauguração do sambódromo do Rio de Janeiro. A escola de samba carioca "Estação primeira de Mangueira" apresentou o samba-enredo "Yes, nós temos Braguinha", prestando reverência ao grande carnavalesco **João de Barro** e indiretamente ao seu mais constante parceiro, **Alberto Ribeiro**.

Antes disso, no Maracanã, **Braguinha** e **Alberto** receberam uma de suas maiores aclamações, quando, espontaneamente, milhares de pessoas cantaram a composição da dupla "Touradas em Madri" após a vitória do time brasileiro sobre a esquadra espanhola na Copa do Mundo de 1950.

Quem é Odilon Moraes?

Odilon Moraes nasceu em São Paulo no ano de 1966 e logo foi com a família para o interior do estado, onde passou sua infância e sua adolescência. Retornou à capital para estudar e formou-se arquiteto na Universidade de São Paulo, mas, ainda no meio do curso, já havia escolhido construir livros ao invés de casas.

Tornou-se ilustrador e posteriormente começou também a escrever e ilustrar algumas de suas obras. Recebeu quatro prêmios Jabuti (em 1994, 2009, 2016 e 2017) por suas ilustrações e, como autor de textos e imagens, recebeu por três vezes o prêmio "Melhor livro do ano para crianças", em 2003, 2005 e 2018, dado pela FNLIJ.

Dizendo ter se apaixonado por livros ilustrados, passou a escrever e dar aulas sobre a história e a poética desses objetos. **Odilon** costuma comparar as sequências de imagens de um livro ilustrado à melodia de uma canção, sendo as duas responsáveis por trazer para a palavra não só uma ambientação, mas principalmente um ritmo.

Esta obra foi composta em Roc Grotesk
e impressa sobre papel offset 150 g/m²
para a Saíra Editorial em 2024